北极熊都是游泳高手，可是偏偏有那么一只小北极熊不敢下水，这可愁坏了北极熊妈妈……

宝贝你真棒

WITHDRAWN

何文楠／文　文栋／图

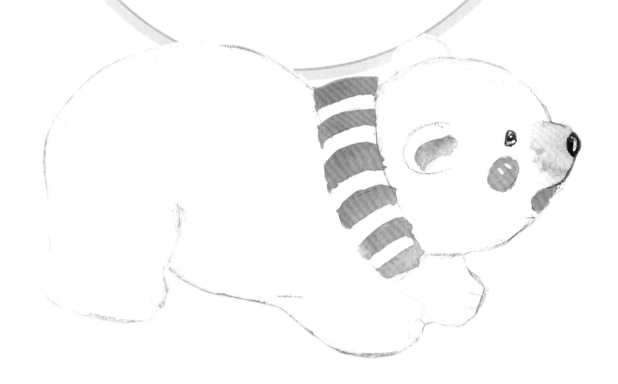

煤炭工业出版社

·北　京·

大白是一只小北极熊。

它出生的时候身体太弱了，比哥哥姐姐们个头儿小了一半。妈妈盼着它快点长大，就给它取名叫"大白"。

　　转眼间，一年多过去了，哥哥姐姐们都已经离开妈妈独自生活了。

　　可是大白还不能离开妈妈，因为它不敢游泳——这可是北极熊天生就会的本领啊！

大白本来也是会游泳的，小时候跟哥哥姐姐们一起游过。可是因为它身体太弱，有一次体力透支，差点淹死，从此就不敢下水了。

不敢游泳的大白捕捉
不到新鲜的食物，只能吃妈
妈带回来的猎物。

有时，它会捡食搁浅
腐烂的海豹或是其他北极
熊丢掉的鱼或海藻……

总之，它捡到什么就吃什么，几乎没有
新鲜的食物。这让妈妈很不放心。

有一天，哥哥姐姐们回来看妈妈，带来了刚捕到的海豹，大白美美地吃了一顿。

得知大白还不敢游泳的消息，哥哥姐姐们跟妈妈商量：我们一起帮大白学游泳吧！

　　大家找了一处浅海，先侦查好环境，然后让妈妈和哥哥陪大白一起在浅水里玩耍，两个姐姐去远一点的地方把鱼群往浅水区赶。

　　大白玩得很高兴，一会儿站起来，
一会儿跳上冰块儿，一会儿又跳进水里，
可它还是不敢游泳。

　　妈妈和哥哥也不催它，只是陪它一
起玩水。

不一会儿，鱼群来了，
大白一掌下去，抓住一条
鱼，它开心极了！

哥哥大声喊起来："大白你真棒！"妈妈也开心地喊道："宝贝，你真棒！"

得到家人的鼓励，大白更开心了，它一次又一次把抓到的鱼扔到冰块上，越抓越多，越抓越开心！

不知不觉间，它跟着鱼儿一起游，竟然出了浅水区，它的身体本能地游了起来。

妈妈和哥哥也在不远处游着，一边游一边守护着它。

鱼儿越抓越多，大白也有些累了，它跳上大冰块，准备和家人享用美食的时候，突然意识到：我会游泳啦！

　　它高兴地欢呼起来，妈妈和哥哥姐姐们也跳上冰块，纷纷对它表示祝贺："大白会游泳啦，大白真棒！"

　　吃完了鱼，哥哥姐姐们邀请大白一起去抓海豹，大白担心地看着妈妈。

　　妈妈紧紧地拥抱了它，坚定地对它说："妈妈相信，大白是最棒的！"于是，四只北极熊一起跳进了海里。

图书在版编目（CIP）数据

宝贝你真棒／何文楠文；文栋图．－－北京：煤炭
工业出版社，2017

ISBN 978－7－5020－6156－2

Ⅰ.①宝…　Ⅱ.①何…　②文…　Ⅲ.①儿童故事—图
画故事—中国—当代　Ⅳ.①I287.8

中国版本图书馆 CIP 数据核字（2017）第 246398 号

宝贝你真棒

文　　字	何文楠
插　　图	文　栋
责任编辑	孙　婷
封面设计	成达轩

出版发行　煤炭工业出版社（北京市朝阳区芍药居 35 号　100029）
电　　话　010－84657898（总编室）
　　　　　010－64018321（发行部）　010－84657880（读者服务部）
电子信箱　cciph612@126.com
网　　址　www.cciph.com.cn
印　　刷　北京恒嘉印刷有限责任公司
经　　销　全国新华书店

开　　本　900mm×1280mm$^1/_{16}$　印张　2　字数　9 千字
版　　次　2018 年 1 月第 1 版　2018 年 1 月第 1 次印刷
社内编号　9036　　　　　　定价　29.00 元